À la poursuite du Codex

RETROUVEZ

DANS LA BIBLIOTHÈQUE ROSE

SAISON I

1. Les pouvoirs de Bloom
2. Bienvenue à Magix

3. L'université des fées
4. La voix de la nature

5. La Tour Nuage
6. Le Rallye de la Rose

SAISON II

7. Les mini-fées
8. Le mariage de Brandon

9. L'étrange Avalon
10. À la poursuite du Codex

© Hachette Livre, 2006, pour la présente édition.
Novélisation : Sophie Marvaud
Conception graphique du roman : François Hacker

Hachette Livre, 43, quai de Grenelle, 75015 Paris.

À la poursuite du Codex

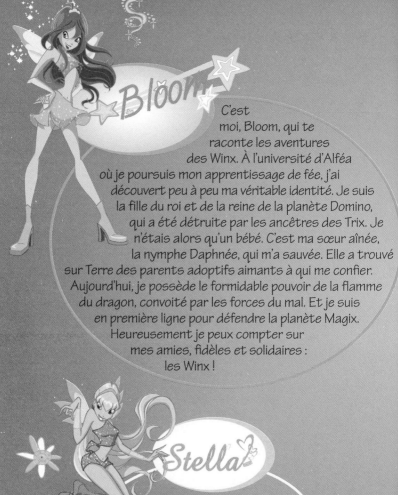

Bloom

C'est moi, Bloom, qui te raconte les aventures des Winx. À l'université d'Alféa où je poursuis mon apprentissage de fée, j'ai découvert peu à peu ma véritable identité. Je suis la fille du roi et de la reine de la planète Domino, qui a été détruite par les ancêtres des Trix. Je n'étais alors qu'un bébé. C'est ma sœur aînée, la nymphe Daphnée, qui m'a sauvée. Elle a trouvé sur Terre des parents adoptifs aimants à qui me confier. Aujourd'hui, je possède le formidable pouvoir de la flamme du dragon, convoité par les forces du mal. Et je suis en première ligne pour défendre la planète Magix. Heureusement je peux compter sur mes amies, fidèles et solidaires : les Winx !

Stella

Fée de la lune et du soleil, elle a une très grande confiance en elle. Un peu trop, parfois ! Mais elle est aussi courageuse que vive et drôle.

fJora

Fée de la nature,
douce et généreuse,
elle est à l'écoute des
plantes et elle sait
leur parler. Cela nous sort
de nombreux mauvais
pas !

Tecna

Sous son apparence
directe et un peu punk, elle
cache une grande débrouillar-
dise. Normal, elle est la fée
des sciences et des
inventions !

musa

Fée de la musique,
orpheline, elle possède une
grande sensibilité. Face au
danger, pourtant, elle n'hésite
pas à utiliser la musique
comme une arme !

Lokett e

Chatta

Piff

Les mini-fées sont de minuscules
créatures magiques qui ont pour
mission d'aider les fées à remplir
leurs devoirs. Lorsqu'une fée et une
mini-fée deviennent inséparables, on
dit qu'elles forment une connexion
parfaite. Chaque Winx est
impatiente de trouver la mini-fée
qui lui correspond !

Digit

Tune

Amore

Les mini-fées sont
sous la protection de
leur grande amie fée :
Layla. Pour échapper à
ses ennemis, celle-ci
devient une nouvelle
élève d'Alféa. Pourra-
t-elle s'intégrer au
groupe des Winx ?

L'université des fées
est dirigée par l'adorable
Mme Faragonda.
Celle-ci en sait souvent
bien plus long qu'elle ne veut
nous le dire.

Au royaume de Magix,
un lieu hors du temps et de l'espace,
la magie est quelque chose de
normal. En plus d'Alféa, deux écoles
s'y trouvent : la Fontaine Rouge et
la Tour Nuage. Les Spécialistes
fréquentent l'école de la Fontaine
Rouge. Ah ! les garçons…
Nous craquons pour eux parce qu'ils
sont charmants, généreux,
dynamiques… Mais ils se disputent
tout le temps. Dur pour eux
de former une équipe aussi
solidaire que la nôtre.

Prince Sky, héritier du royaume d'Héraklion, avait échangé son identité avec celle de son plus fidèle ami : Brandon. Ainsi a-t-il pu échapper à ses ennemis. Bon et courageux, il a su toucher mon cœur…

Brandon, celui que l'on prenait auparavant pour Prince Sky, est aussi charmant que dynamique. Pas étonnant que Stella craque pour lui !

Riven n'a vraiment pas un caractère facile ! Mais son côté romantique ne laisse pas indifférent certaines jeunes fées et sorcières…

Timmy, plein d'astuce et d'humour, intéresse fort Tecna. N'aurait-il pas quelques défauts lui aussi ? Est-il vraiment aussi courageux que ses amis ?

Convoité par les forces du mal,
Magix est le lieu d'affrontements
terribles.

 Le Phoenix est le plus puissant de
nos ennemis. Squelette dissimulé
dans une armure, ou bien oiseau de
feu, il change d'apparence à volonté.
Mais qui est-il exactement ?
Et que cherche-t-il ?

Sous les ordres du Phoenix,
l'armée des ténèbres est
composée d'un grand nombre
de créatures monstrueuses
et malfaisantes.

Associées au Phoenix, trois sœurs
sorcières forment un groupe uni et
redoutable : les Trix. Obsédées par
leur recherche insatiable de pouvoirs
magiques, elles sont prêtes à tout
pour anéantir les Winx !

Icy, qui est à la fois l'aînée des
Trix et leur chef, a pour armes
préférées les cristaux de
glace, le blizzard, les icebergs.

Stormy sait déclencher
tornades et tempêtes.

Darcy utilise des sortilèges
mentaux : elle crée des illusions
de toutes sortes qui peuvent
rendre fou.

Mme Griffin est la directrice de la
Tour Nuage, l'école des sorcières.
Mme Faragonda semble lui faire
confiance. Mais je me demande
si ce n'est pas une erreur…

Résumé des épisodes précédents

À l'école de la Fontaine Rouge, un combat violent s'est engagé entre les Spécialistes et les Trix. Nous, les Winx, avons bien sûr volé au secours de nos amis. Mais nous n'avons pas pu empêcher les sorcières de dérober ce qu'elles cherchaient : un mystérieux et précieux document appelé « codex ».

En plus, Sky a été grièvement blessé ! Heureusement que moi, Bloom, j'ai découvert que j'avais le pouvoir de guérison. Ainsi, j'ai pu sauver la vie de mon amoureux !

Aujourd'hui, pour la suite de nos aventures, je laisse la parole à Flora.

Chapitre 1

Le secret des formules magiques

Comme le professeur Palladium est ennuyeux ce matin ! Il pose sur son bureau un objet très laid : un énorme cadenas.

— Mesdemoiselles, ce cadenas peut être ouvert sans la clef qui lui correspond. Grâce à une formule magique : *expedio catenam.*

Pendant qu'il parle, j'écris machinalement sur mon cahier. Sous ma plume, je ne sais pas pourquoi, c'est le prénom d'Hélia qui apparaît.

— Mais attention ! poursuit Palladium. Pour que les formules magiques fonctionnent, elles doivent être prononcées à la perfection ! Je vais vous montrer. *Expedio gatenam !*

Toute la classe éclate de rire. Non seulement le cadenas n'a pas été ouvert, mais un chat est

apparu sur le bureau du professeur !

J'entoure le prénom d'Hélia de petits cœurs et de fleurs. Nous avons rencontré ce beau jeune homme à la fête de rentrée de la Fontaine Rouge.

Évidemment, Stella n'a pas pu s'empêcher de lui faire du charme... Mais c'est moi dont il a fait le portrait... Le reverrai-je un jour ?

— Qui veut essayer d'ouvrir le cadenas grâce à la formule ? demande Palladium. Bloom ?

Bloom réussit l'exercice, bien sûr. Moi aussi, je suis une bonne élève d'habitude. Mais là, impossible de me concentrer. Je m'échappe en rêve et j'imagine un monstre qui m'attaque... Et c'est Hélia qui vole à mon secours ! Puis il m'emporte dans ses bras...

Soudain, mystérieusement, je me vois dans une longue robe blanche. Mon prince charmant est vêtu avec beaucoup d'élégance. Nous avançons au milieu des fleurs. Et la personne qui nous y attend est... le prêtre qui va célébrer notre mariage !

— Flora ! me dit soudain une voix qui n'est pas celle d'Hélia. Vous avez entendu ce que je viens d'expliquer ?

— Euh... oui, professeur Palladium.

— Dans ce cas, récitez la formule.

Oh, là, là ! Je n'en ai qu'un très vague souvenir. Tant pis, je me lance !

— *Exagero gatenam !*

Une avalanche de chats tombe alors sur la tête du professeur Palladium, qui s'effondre sur le sol ! Et toute la classe éclate de

rire. Je me sens atrocement gênée...

Faisant disparaître les chats, le professeur se relève et pousse un profond soupir.

— Maintenant, Flora, vous connaissez le secret des formules

magiques : il faut les prononcer
à la perfection !

Chapitre 2

Ce que Flora ne sait pas

À l'université d'Alféa, les mini-fées ne sont pas admises en cours ! Tandis que les Winx travaillent leurs formules magiques, leurs connexions parfaites s'amusent donc dans le parc. Pour l'instant, Chatta, Digit,

Tune, Lockette et Amore jouent dans un labyrinthe végétal.

— La sortie est là-bas ! crie Lockette à Digit.

— Tu crois ou t'es sûre ?

— Je crois que j'en suis sûre !

En volant, les deux mini-fées tournent dans une allée entre deux haies de feuillages épais.

Tune et Chatta ont pris une autre direction. Soudain, elles se retrouvent nez à nez avec six boules lumineuses qui flottent dans les airs !

— Qu'est-ce que c'est ? dit Chatta.

Vite, elles font demi-tour. Mais les boules les poursuivent !

Dans l'ombre d'un arbre, une mystérieuse silhouette les observe. C'est un homme, grand et mince, dont le visage est dissimulé par un capuchon...

Pendant ce temps, inconscientes des dangers qui menacent les mini-fées, les Winx poursuivent tranquillement leur journée.

Après les cours, Bloom se rend à la bibliothèque. Elle veut progresser dans l'utilisation de son nouveau don : celui de guérison. Il existe sûrement un manuel sur le sujet.

Au rayon « Art de guérir », les livres sont pleins de poussière.

— On dirait que ces ouvrages n'ont pas été empruntés depuis des années ! Ce n'est pas bon signe !

À cet instant, un bruit dans le dos de Bloom la fait sursauter. Elle se retourne rapidement. Un livre vient de tomber tout seul d'une étagère...

— *Toutes les formules et potions pour guérir.* Mais voilà exacte-

ment ce qu'il me faut !... Quelle chance !

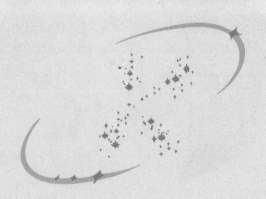

Chapitre 3

Une mission pour Layla

Dans notre chambre, Bloom teste une première formule de son livre. Elle prononce très consciencieusement :

— *Contabeish monbi ergrotatum !*

Oh ! L'une de mes chères plantes vertes s'est effondrée,

calcinée ! Moi, la fée de la nature, je me précipite. Avec quelques gouttes de ma fabrication, je la ressuscite.

— Bloom, tu sais, ce n'est sûrement pas la bonne formule.

— Désolée, Flora !

Alors que Layla passe dans le couloir, je l'interpelle.

— Layla ! Je peux te parler deux minutes ? J'ai besoin d'un conseil.

Notre nouvelle amie se sent parfois un peu exclue, comme si elle n'était pas sûre d'appartenir au groupe des Winx. Elle est

donc enchantée de ma proposition.

— Bien sûr, Flora. Je parie que c'est au sujet d'Hélia.

— Oh ! Comment le sais-tu ?

Layla éclate de rire.

— Je t'ai vue écrire son nom en classe, sur ton cahier.

Je sens mes joues prendre la couleur des coquelicots.

— Tu as raison. J'ai très envie de discuter à nouveau avec lui. C'est un garçon vraiment différent des autres, tu vois. Mais je ne sais pas comment m'y prendre...

— Sois naturelle ! Une fille a le droit de dire à un garçon qu'il lui plaît !

— Mais... Et si moi, je ne lui plais pas ?

— Si tu ne lui demandes pas, Flora, tu ne le sauras jamais !

— Hum... Et si c'était toi qui le lui demandais ?

Layla fait la moue.

— Je ne suis pas trop à l'aise dans ce genre de situation... Mais d'accord, je veux bien essayer.

Je lui saute au cou.

— Oh, merci, Layla !

Stella passe sa tête dans la chambre.

— Hé, les filles ! Est-ce que par hasard vous auriez vu Amore ?

Sans lever le nez de son livre, Bloom secoue la tête. Je réfléchis.

— Tiens, dis-je. C'est bizarre... Tout à l'heure, Tecna se demandait où était Digit.

Toutes les trois, nous échangeons alors un regard inquiet.

— Cet après-midi, les mini-fées avaient l'intention de jouer dans le labyrinthe végétal. Mais ça fait des heures qu'elles devraient en être sorties !

— Et la nuit est tombée !

— Leur absence n'est sûrement pas normale !

— Vite ! Alertons Tecna et Musa !

Aussitôt, nous reformons le groupe des Winx. Armées de

lampes de poche, nous nous pré-
cipitons dans le parc.

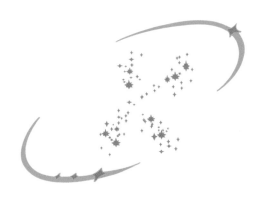

Chapitre 4

Qu'arrive-t-il aux mini-fées ?

Près du labyrinthe, nous apercevons soudain de minuscules étincelles féeriques.

— C'est Lockette ! s'écrie Layla. Ohé ! Lockette !

En nous approchant, nous découvrons la mini-fée aux cheveux courts, plaquée sur le sol, comme si elle avait été assommée. Elle se redresse et commence à voler en nous tournant le dos !

Layla n'en revient pas.

— Elle ne m'a pas entendue !

Nous nous lançons à sa poursuite. Heureusement, les mini-fées ont de toutes petites ailes et, même en volant, elles avancent moins vite que nous à pied.

Nous barrons le passage à Lockette. Mais... elle n'est pas seule ! Avec elle, Chatta, Digit, Amore et Tune, se dirigent elles aussi vers la sortie d'Alféa ! Il ne manque que Piff pour que leur groupe soit au complet.

Elles se posent sur le sol.

— Nous étions très inquiètes à votre sujet, dit Bloom d'un ton de reproche.

— Il faut qu'on retourne au village des mini-fées, lui répond Chatta.

— Vous avez perdu la raison ! s'exclame Bloom. Vous savez bien que le Phœnix vous suivrait. Il trouverait votre village, ce que nous devons éviter à tout prix !

Layla attrape le bras de Bloom.

— Attend...

Elle s'adresse aux mini-fées.

— Pourquoi voulez-vous rentrer chez vous ?

Digit fait un pas en avant, l'air déterminé.

— Parce que.

Tecna ouvre des yeux ronds.

— *Parce que* n'est pas une réponse, Digit. Et cela ne te ressemble pas...

Stella perd son calme.

— Amore, je veux que tu cesses ces bêtises tout de suite ! Allez, viens !

Mais même la charmante Amore se montre aussi têtue que les autres.

— Nous avons le mal du pays. Nous voulons rentrer chez nous.

— Mes amies, en route ! décide Chatta.

Et les voilà toutes qui s'envolent à nouveau en passant par-dessus nos têtes.

Je suis stupéfaite :

— Mais ma parole, elles s'enfuient !

Puisqu'il est impossible de discuter avec elles, il ne nous reste qu'une chose à faire. Une fois nos ailes sorties, nous volons à la poursuite des mini-fées !

Je file derrière Chatta. Lorsque nous nous rapprochons d'elles, je lance dans leur direction des graines magiques. En moins de temps qu'il ne le faut pour le raconter, elles ont germé. Une muraille de bambous se dresse devant Chatta !

Ma connexion parfaite se retourne vers moi, affolée.

D'autres bambous ont poussé juste derrière elle, la retenant prisonnière.

— Laisse-moi passer, Flora !

— Je te demande pardon, trésor. Mais il n'est pas question que je te laisse partir.

Je l'enferme dans une petite cage de bambous et je l'emmène avec moi. Plus loin, j'aperçois Stella qui poursuit Amore.

Gênée par l'obscurité, la fée de la lune et du soleil lance son sceptre qui éclaire toute la scène. Ainsi elle localise la mini-fée qui se cachait derrière un tronc d'arbre couché.

Elle la cueille, toute tremblante, entre ses mains.

— Enfin, te voilà, Amore !

De son côté, Bloom a jeté sur Lockette une boule magique, qui l'emprisonne sans lui faire de mal. Furieuse, la mini-fée frappe les parois de sa prison :

— Laisse-moi partir !

— Non, Lockette. Je ne te libèrerai pas avant que tu m'aies expliqué ce qui se passe.

Tecna a plus de mal à repérer Digit, qui utilise son ordinateur magique pour la semer. Mais elle finit par la capturer, avant de la mettre dans une cage électronique. Quant à Musa, elle attrape simplement Tune entre ses mains, comme s'il s'agissait d'un papillon.

— Est-ce que tout le monde est là ? demande Stella à la ronde.

— Il manque Piff ! s'écrie Musa.

Layla nous rejoint, Piff dans les bras.

— La voici. Elle a volé sur une dizaine de mètres et puis elle a dû s'arrêter pour faire une sieste !

Nous éclatons de rire. Ah ! ça fait du bien de rire un grand coup ! L'attitude des mini-fées est tellement inquiétante... !

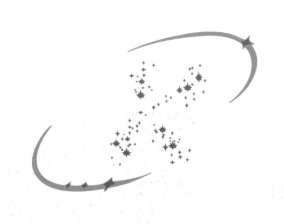

Chapitre 5

Un mystérieux Codex

Sans attendre, nous demandons à être reçues par la directrice. Nous lui racontons dans quel état étrange nous avons retrouvé les mini-fées.

— Hum, hum... dit Mme Faragonda. Je vous propose de

prendre les mini-fées provisoirement dans mon bureau, afin de les surveiller moi-même.

Nous déposons nos amies dans une vaste cage qui contient tout le confort nécessaire.

Je demande :

— Qu'est-ce qui arrive aux mini-fées, Mme Faragonda ?

La directrice semble très soucieuse.

— À mon avis, Flora, elles sont les victimes d'un sortilège qui leur donne le mal du pays. Cela les incite à tout tenter pour retourner dans leur village. Lord Darkar, le maître des ténèbres, est sûrement à l'origine de ce mauvais sort !

Nos cerveaux sont en ébullition. Nous parlons toutes en même temps.

— Que se passe-t-il exactement ?

— Vous nous avez caché quelque chose à propos de Lord Darkar et des mini-fées !

— Y-a-t-il un rapport avec ce document secret que les Trix ont volé à l'école de la Fontaine Rouge ?

— Mesdemoiselles, dit Mme Faragonda avec gravité, vous avez droit à des explications. Le maître des ténèbres, Lord Darkar, celui que nous appelons aussi le Phœnix, est à la recherche d'un document magique d'une importance capitale : le Codex.

— Mais les Trix l'ont déjà volé !

— Non. Les Trix n'en ont récupéré qu'une partie, celle qui était cachée à la Fontaine Rouge. Elles agissaient sûrement sur l'ordre de Darkar. Mais tant qu'il

ne possède pas le document entier, celui-ci ne lui sert à rien. Or, le Codex est divisé en quatre parties.

— Et les autres parties, où sont-elles ?

Mme Faragonda nous regarde

droit dans les yeux. Heureusement, elle décide de nous faire
confiance.

— L'une est cachée à l'école
de la Tour Nuage. L'autre ici, à
Alféa. Enfin, la dernière partie se
trouve au village des mini-fées.
Voilà pourquoi Darkar veut absolument connaître son emplace-
ment !

La directrice se lève et, par la
fenêtre, contemple la nuit.

— Darkar va vouloir à tout
prix récupérer les autres mor-
ceaux du Codex. Nous devons
être extrêmement vigilantes !

Je m'avance vers elle.

— Et les mini-fées... comment les délivrer de ce sortilège ?

— Nous allons nous en occuper, Flora. Mais les maléfices de Darkar sont d'une puissance redoutable.

La directrice se tourne vers Bloom.

— Bloom, n'est-ce pas le moment de tester ton nouveau pouvoir de guérison ?

— Absolument ! s'exclame notre amie avec enthousiasme. Vous pouvez compter sur moi !

Je sais que les pouvoirs de Bloom ne cessent de nous surprendre. Mais cette fois, puisque Mme Faragonda est incapable de délivrer les mini-fées du sortilège, n'est-ce pas trop demander à notre amie ?

Chapitre 6

La magie des mots

De retour dans notre chambre, et malgré l'heure tardive, Bloom se replonge aussitôt dans son manuel de guérison.

— Ah ! Voilà une formule de purification des maléfices...

J'accepte qu'elle teste la formule sur une plante atteinte d'une maladie grave. Même moi, je ne parviens pas à la soigner.

— *Martifer fatalis silenti !* Prononce impeccablement Bloom.

Mais au lieu de guérir, la plante grossit d'un coup et se transforme en plante carnivore ! Elle ouvre une gueule pleine de dents pointues et se jette sur Bloom ! Mon amie lance son livre à la tête de la créature et réussit à la détruire. Ouf !

— Ce livre t'aura enfin servi à quelque chose, dis-je avec ironie.

— Tu as raison, Flora. Pour

l'instant, les formules qu'il contient sont vraiment bizarres... bon. Allons nous coucher, on verra ça demain.

Le lendemain matin, j'accompagne mon amie dans le bureau de la directrice. Elle lui explique

ses mésaventures avec son manuel.

— Montre-moi ce livre, Bloom. Où l'as-tu trouvé ?

— À la bibliothèque.

— Oh ! Mais il n'appartient pas à nos réserves ! Quelqu'un l'aura déposé. Tu as de la chance qu'il ne soit rien arrivé de grave...

Dans sa bibliothèque personnelle, la directrice attrape un livre, qu'elle tend à mon amie.

— Tiens. Tu peux avoir

confiance en ce manuel-là. Tu y trouveras d'excellents antidotes contre les sortilèges. Espérons qu'associés à ton pouvoir de guérison, ils te permettent de délivrer les mini-fées !

Nous remercions Mme Faragonda et, dans le couloir, attendons la reprise des cours. Pleine d'espoir, Bloom commence à étudier ce nouveau recueil.

Lorsqu'elle m'aperçoit, Layla se précipite vers moi.

— Flora ! J'ai quelque chose à te raconter. Je vais me promener dans le parc. Tu m'accompagnes ?

Elle chuchote.

— C'est au sujet d'Hélia.

Je m'y attendais et pourtant je rougis.

— Cette nuit, impossible de m'endormir ! Je me faisais trop de soucis pour les mini-fées. Alors, j'ai été faire un tour en volant du côté de la Fontaine Rouge...

Layla raconte qu'il y avait de la lumière dans la chambre d'Hélia. Elle a frappé, personne n'a répondu. La porte n'était pas fermée à clef...

— Je suis entrée, dit Layla.

Qu'est-ce qu'il ne faut pas faire pour avoir de nouveaux amis ! Et regarde ce que j'ai trouvé !

Elle me tend une feuille de papier.

— C'est un poème !

— C'est ton écriture ?

— Bien sûr. Je l'ai recopié.

Il s'agit d'un long poème. Je commence à lire :

Ta voix a le son du vent dans les arbres

Ta chevelure ressemble aux longues herbes de l'été

Le reflet de l'étang est pareil à tes yeux...

— Ce n'est pas très original, dit Layla.

Je me dépêche de replier la feuille. Je lirai ces vers plus tard, toute seule dans ma chambre. D'accord, Hélia n'est pas un poète exceptionnel. Mais je suis quand même profondément émue. Il n'y a aucun doute : son poème parle de moi !

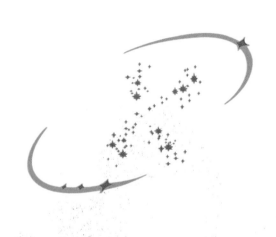

Chapitre 7

Ce que Flora ne sait pas

La nuit suivante, une silhouette grande et mince, avec un capuchon sur le visage, se faufile à pas de loup dans les couloirs d'Alféa. Elle se dirige vers le bureau de la directrice !

L'ombre lance sa magie contre

la serrure. La porte s'ouvre silen-
cieusement.

Dans le bureau, à l'intérieur de
leur cage, les mini-fées sont trop
absorbées pour y prêter attention. En effet, assise au milieu
des autres, Piff pleure à chaudes
larmes.

— Piff a aussi le mal du pays,
dit Chatta.

Amore semble très inquiète.

— Il faut la ramener au plus
vite au village !

Soudain, Lockette remarque
un très léger bruit de pas.

— Qu'est-ce que c'est ?

Digit panique :

— Il y a quelqu'un ?

— Qui est-ce ?

Effrayée, Chatta murmure :

— On s'en fiche, qui c'est. Ce qui compte, c'est ce qu'il va nous faire...

Une main gantée de cuir touche les barreaux de la cage. Terrorisées, les mini-fées se serrent les unes contre les autres.

Mais, à leur grande surprise, la main se contente de soulever le loquet qui ferme la cage. Puis l'ombre quitte la pièce.

— Pas possible ! s'écrie Chatta. Il nous a libérées !

Aussitôt, Digit prend la tête des opérations.

— Profitons-en pour rentrer au village !

— On sera bien plus en sécurité là-bas, l'approuve Lockette.

En file indienne, les petites créatures déploient leurs ailes et s'envolent, dans un tourbillon d'étincelles magiques.

Franchissant les murailles d'Al-féa, elles se retrouvent dans la forêt. Mais Piff est à la traîne, déjà épuisée par ce vol trop long pour elle. Et Lockette reste auprès d'elle pour l'encourager.

— Dépêchez-vous ! dit Chatta.

— Relayons-nous pour porter Piff, propose Amore.

— Elle est lourde !

— À nous deux, Lockette, nous devrions y arriver.

À des kilomètres de là, un effrayant personnage suit ces péripéties sur un écran magique. Il ricane :

— C'est ça ! Rentrez vite chez vous, mes mignonnes !

Il s'agit de Darkar, le maître

des ténèbres, sous son apparence de Phœnix. Il déploie ses ailes en lambeaux et appelle ses serviteurs. Des monstres baveux de toutes races se précipitent.

— Suivez les mini-fées ! ordonne Darkar. Et dénichez leur repaire secret !

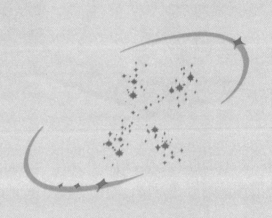

Une course de vitesse

L'esprit confus par trop d'émotions, je me tourne et me retourne dans mon lit.

Serait-ce possible que le mauvais sort jeté sur les mini-fées disparaisse tout seul ? Ou bien, au contraire, vont-elles être de plus en plus malades ?

Et Hélia ? Est-ce que je me trompe en pensant que son poème est écrit pour moi ?

Lasse de cette insomnie qui dure, je décide d'aller voir les mini-fées dans le bureau de la directrice, afin de vérifier que tout va bien.

Mais la cage est ouverte ! Et nos connexions parfaites se sont envolées ! Oh non !...

Je me hâte d'aller réveiller mes amies. Seule Bloom préfère rester dans la chambre. Elle se plonge à nouveau dans ses recherches sur l'antidote qui guérira les mini-fées.

— Comment savoir dans quelle direction elles sont parties ? questionne Musa.

— Ne vous inquiétez pas, dis-je. Je vais le demander aux plantes.

J'écoute attentivement ce que la nature veut me dire...

— Par là !

Une fois métamorphosées en fées, avec nos ailes et nos costumes étincelants, nous volons en direction de la forêt.

Guidés par les arbres, les buissons et les fleurs, nous finissons par apercevoir de minuscules lumières magiques : oui, ce sont bien les mini-fées !

Nous atterrissons devant elles.

— Nous vous ramenons à Alféa, leur dit Stella avec autorité.

Mais il est inutile de discuter tant qu'elles sont sous l'emprise de ce mauvais sort. Nous nous apprêtons à les saisir pour les remettre en cage, lorsqu'un grondement attire notre attention.

Plusieurs monstres des ténèbres sont là, devant nous, prêts à nous dévorer toutes crues !

Vite, je lance sur eux des lianes magiques. Chacune de mes amies se sert de son arme favo-

rite. Quelques instants plus tard, la voie est libre !

— Les mini-fées ne sont plus là ! s'écrie Tecna.

Hélas, elles ont profité de ce combat pour nous fausser compagnie ! Layla n'en revient pas.

— Elles sont vraiment envoû-tées, pour nous abandonner au beau milieu d'une bataille !

J'ouvre tout grand mes oreilles et mon cœur à ce que me dit la nature.

— Les arbres nous prévien-nent qu'elles sont presque arri-vées à leur village !

— C'est terrible ! Darkar va savoir où il se trouve !

Mais voilà Bloom qui vole aussi vite que possible jusqu'à nous. Je l'interpelle avec angoisse.

— As-tu trouvé l'antidote ?

— Peut-être ! Je n'ai pas eu le

temps de tester la formule mais il faut tenter le coup, nous n'avons plus rien à perdre ! Flora, quelle direction dois-je prendre ?

— Tout droit ! Je te suis pour t'indiquer le chemin au fur et à mesure.

Nous volons à une vitesse extrême, épuisante. Enfin, voilà les mini-fées !

Bloom se concentre et lance :

— *Medicar desiderium incolumis !*

Les petites créatures s'arrêtent net.

— Mais qu'est-ce qu'on fait ici ? dit Chatta.

Tune secoue ses longues boucles.

— Il faut retourner auprès de nos connexions parfaites ! Nous avons le devoir de les aider !

Bloom et moi, nous poussons un énorme soupir de soulage-

ment ! Enfin, elles sont redeve-
nues elles-mêmes ! Juste à
temps ! À quelques centaines de
mètres de leur village...

— Bravo Bloom ! Tu as réussi
à les guérir ! Tu es formidable !

— Merci, Flora. Mais il était
moins une !

Portant dans nos bras les mini-
fées épuisées, nous reprenons
toute ensemble le chemin d'Alféa. Mon cœur soulagé est léger
comme une plume d'oiseau.

Du coup, j'ai une idée !

Demain, je volerai au-dessus de l'école de la Fontaine Rouge. Par la fenêtre de la chambre d'Hélia, j'enverrai l'une de mes graines magiques.

Un magnifique rosier blanc germera sur sa table de travail ! Ainsi, il comprendra que moi aussi, je pense beaucoup à lui...

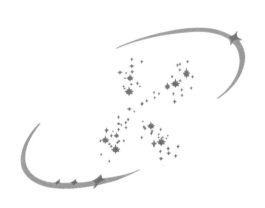

Table

Si tu as envie d'écrire toi aussi, tu trouveras des conseils
et des jeux d'écriture sur le site de Sophie Marvaud,
qui a adapté le dessin animé *Winx Club*
pour la Bibliothèque Rose.
Voici son adresse sur internet :
http://sophie.marvaud.chez.tiscali.fr

Dans la même collection...

Cinq collégiennes
douées de pouvoirs
surnaturels.

Mini, une petite fille
pleine de vie !

Fantômette,
l'intrépide
justicière.

Totally Spies,
trois super espionnes
sans peur et sans reproche.

Pour Futékati,
résoudre les énigmes
n'est pas un souci.

Claude, ses cousins et
son chien Dago
mènent l'enquête.

Cédric, les aventures
d'un petit garçon bien
sympathique.

Esprit Fantômes, les
enquêtes d'une famille
un peu farfelue.

Imprimé en France par **Q**ualibris *(J-L)*
dépôt légal février 2007
20.20.1230.03/0 – ISBN 978-2-01-201230-1
Loi n° 49-956 du 16 juillet 1949
sur les publications liées à la jeunesse